KONVOOI

9. Infiltratie

Tekst: Jean-David Morvan
Tekeningen: Philippe Buchet

ARBORIS

Konvooi 9 is een uitgave van
Arboris BV, 7021 BL Zelhem, Nederland
© 2006 Guy Delcourt Productions - Morvan - Buchet
© 2010 Nederlandstalige editie Uitgeverij Arboris
ISBN 9789034303721
Vertaling: Joke van der Klink

Voor info over Arboris op internet:
www.arboris.nl

PROBLEMEN, NÄVIS?

NEE...

... WAT COM-MUNICATIE-PROBLEEMP-JES... MAAR DIE ZIJN OPGELOST!

ZIT JE GOED VAST?

FCHH...

JA. EN GOED UIT-GERUST.

CLIC!

KLAAR OM ZE WEER WIJS TE MAKEN DAT IK GEDACHTEN UITZEND?

CLAP!

EN DAN PRECIES, WAT ZE GRAAG WILLEN LEZEN!

PRIMA!

HMMMMMM!...

GRRRRRRR!

ALLES WERKT!...

AAN DE SLAG!

MENEER DE AGENT, MAG IK U EVEN IETS VRAGEN, ALSTUBLIEFT?!

TOT UW DIEN...

WEGWEZEN!

KPOW!

EN NU DIE MARIO- NETTEN VAN DE GROTE RAAD AFSCHUDDEN!

INDRUKWEKKEND!...

DAT IS MIJN VAK.

JE HOORT NOG VAN ONS.

BONV

HEEFT NIEMAND JE GEVOLGD?

WAT DENK JE WEL! IK BEN EEN BEROEPS!

GEEF EVEN EEN LICHT- SIGNAAL.

POLITIE!

BOE!

STOMP!

DOE ONMIDDEL-
LIJK OPEN!

POEKRAM!

KOMT GOED,
KOMT GOED...

CLAP!

BIP!

KRAK!

OECH!

HÉ!

HUMPF! JE
MAG HIER NIET
ZOMAAR
BINNENDRI...

IK HEB HET VOLSTE RECHT,
ALS IK ACHTER HET HULPJE
VAN EEN SMERISSENKILLER
AAN ZIT!

OVEREIND!

WAT IS DAT VOOR ONZIN?! DAAR HEB IK NIETS MEE TE MAKEN!

BEKIJK DAN MIJN PAPIEREN!! >HUMPF< IK WERK IN EEN FABRIEK VAN...

HOU MAAR OP! WE WETEN ALLES!

JE VRIENDJE HEEFT AL VIJF COLLEGA'S NEERGEKNALD, ALLEEN MAAR OM PILOTEN TE TESTEN...

MAAR WE HEBBEN HEM NU TE PAKKEN EN HIJ HEEFT ALLES BEKEND... JOUW NAAM ONDER ANDERE...

WE WETEN DAT HIJ NIET GE- ZEGD HAD WAT HIJ VAN PLAN WAS...

DUS ALS JE ONS ALLES OVER HEM VERTELT, KOM JIJ ER MET EEN LAGE STRAF VANAF.

IK SNAP NIETS VAN WAT JE ZEGT!... EN OP DEZE MANIER KOM IK TE LAAT OP MIJN WERK!

ROT OP!

HOE STOM KUN JE ZIJN?...

... HET IS JE ENIGE KANS! OF WIL JE DE REST VAN JE LEVEN OP HET CELLENSCHIP ZITTEN?

KLAP!

KLAP!

...KLERESTAART!

JIJ?!

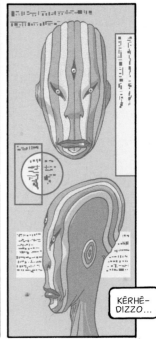

... ACTIEVOERDER, EXTREMIST, BIJZONDER GEVAARLIJK...

ALLEEN PAS JIJ HEEL ANDERE METHODEN TOE!

ZE HOORT BIJ GEEN ENKELE GROEP. ZE KOMT IN ACTIE ALS IETS HAAR TE ERG TEGEN DE BORST STUIT...

DAT BEGRIJP IK!... ERG GOED, ZELFS!

ZE IS NET WEER VRIJ. ZE ZAT VAST VOOR DE MOORD OP 287 ARBEIDERS, DIE EEN RUIMTEBOMMENWERPER NAAR EEN ONTMANTELINGSWERF BRACHTEN...

... ONDER HET VOORWENDSEL DAT DE WERKNEMERS VAN DIE WERF ONDERBETAALD WERDEN EN ONVOLDOENDE BESCHERMD WAREN TEGEN RADIOACTIEVE LEKKEN...

...HEEFT ZE HET SCHIP ONDERWEG OPGEBLAZEN...

ZE HAD LEVENSLANG MOETEN KRIJGEN... VOORAL MET HAAR STRAFBLAD... JE VINDT ALLES IN HET DOSSIER.

WE WETEN DAT ZE ALWEER EEN NIEUWE AANSLAG VOORBEREIDT... EEN ZWARE, MAAR WE WETEN NIET WÁÁR...

MAAR ZE HAD DE BESTE ADVOCATEN VAN KONVOOI...

DANKZIJ EEN PROCEDUREFOUT HEBBEN ZE HAAR VRIJ GEKREGEN...

ZE IS BEZIG EEN KLEINE PLOEG SAMEN TE STELLEN. WE HEBBEN JOU NODIG OM BIJ ZE TE INFILTREREN.

ZE ZIJN ERG GEVAARLIJK. ALS JE NIET WILT, BEGRIJP IK DAT HEEL GOED.

ERGER DAN MENSEN KUNNEN ZE TOCH HAAST NIET ZIJN...

⑨

KÉRHÉ-DIZZO
?!!

BEN JE GEK
GEWORDEN?

ZIE IK
ER ZO
UIT?

KOM TERUG!!
HET WAS EEN
NEPGRANAAT!

WEER EEN VAN
JE TESTS?

IK WILDE
IETS
UITZOEKEN...

EN NU WEET
IK HET.

EUH... WEET JE, HET
WAS GEEN LAFHEID...
MAAR IK HEB AL EENS
MEEGEMAAKT WAT DIE
DINGEN AANRICHTEN...

IN
ORDE!

HÉ, HÉ!
WAAR GA JIJ
NAARTOE?

WIL JE DE
OPERATIE
AFBLAZEN?

NEE
...

... MAAR
IK ZIT
LIEVER
VOORIN.

WE GAAN!

RUIMTE-
STORTPLAATS
D.K.3...

HIER HEB IK DE OP-
LEGGER VERSTOPT
DIE WE GEJAT HEBBEN...

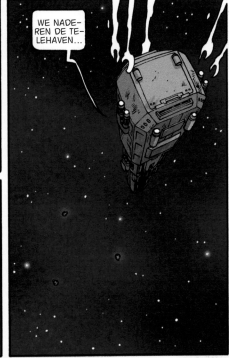

WE NADE-
REN DE TE-
LEHAVEN...

...WELKE CODE
TIK IK IN?

GEEN.

HOE MOETEN WE
DE TELEPOORT DAN
ACTIVEREN?

STEL IK JOU
VRAGEN?! GEWOON
DOORVLIEGEN!

ZDZD!

NOU ZEG!...
HET WERKT! EN
HIJ IS NOG
GROEN OOK!
HOLALA! WAT EEN
VERRASSING!

GEEN ZORGEN.
WE KUNNEN
ER DOORHEEN,
NET ALS
ANDERS!

WAT?

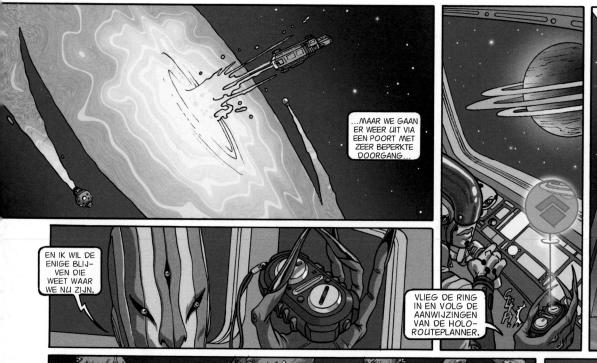

...MAAR WE GAAN ER WEER UIT VIA EEN POORT MET ZEER BEPERKTE DOORGANG...

EN IK WIL DE ENIGE BLIJVEN DIE WEET WAAR WE NU ZIJN.

VLIEG DE RING IN EN VOLG DE AANWIJZINGEN VAN DE HOLO-ROUTEPLANNER.

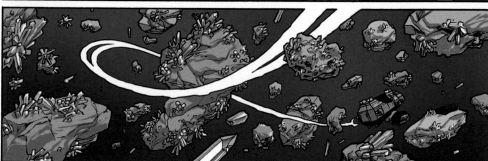

WE ZIJN ER. WAT MOET IK NU DOEN?

PARKEER IN DE ASTEROÏDE HIER NET ONDER. DE HOLTE DAARIN MOET GROOT GENOEG ZIJN.

IK HOOP DAT DIT NIET DE MUIL VAN EEN REUZENROTS-WORM IS...!

WAAROM ZEG JE DAT?

OH, EEN OUWE 2D-FILM DIE MIJN ROBOBEER-TJE ME HEEFT LATEN ZIEN... HET ZAL JOU NIETS ZEGGEN...

BEPERK JE LIEVER TOT NUTTIGE OPMERKINGEN!

...

VOORUIT, ALLEMAAL AANKLEDEN!

K.AK

PCHIT!

!!

ZZZ!

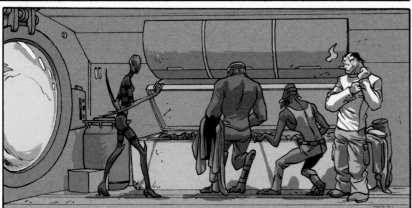

ZGRFL!

?!

IK BEN BLIJ DAT JE BANG VOOR ME BENT...

MAAR JE HAD NIETS TE VREZEN... IK HEB GE- WOON HET CONTROLE PANEEL VAN HET SCHIP IN SLAAPSTAND GEZET.

VOOR WE VERTREK- KEN ZAL IK HET WEER ACTIVEREN... DAT IS WEL ZO VOORZICHTIG...

POEKRAM!

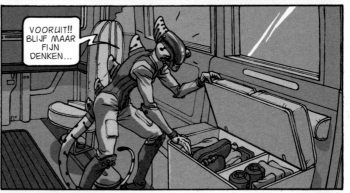

VOORUIT!! BLIJF MAAR FIJN DENKEN...

... DAT IK HIER WORTEL GA SCHIETEN !!

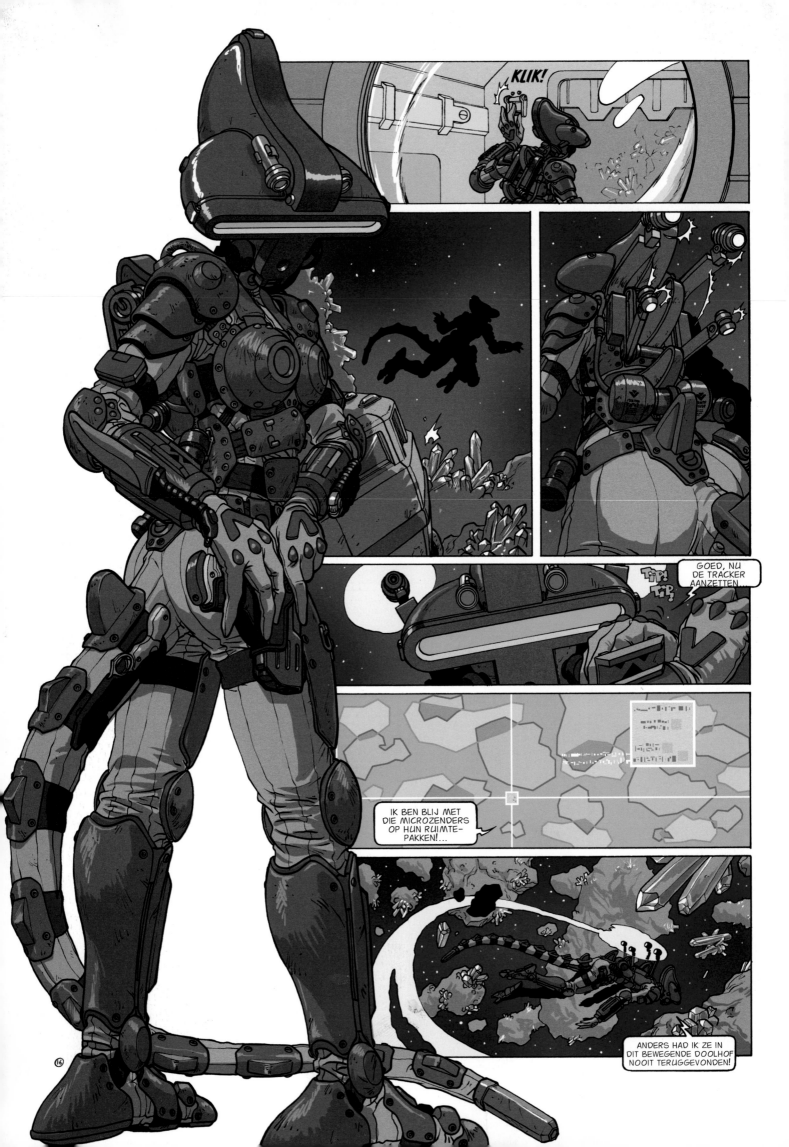

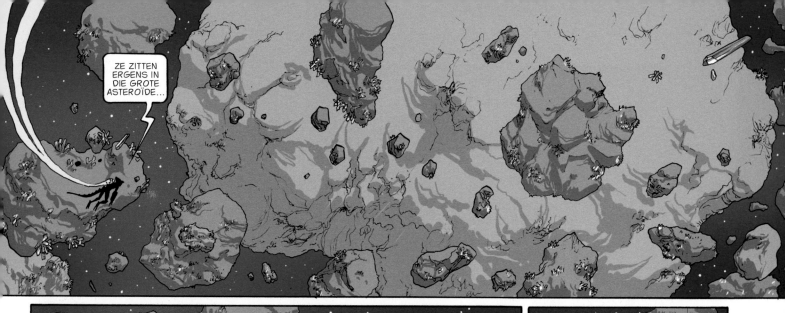

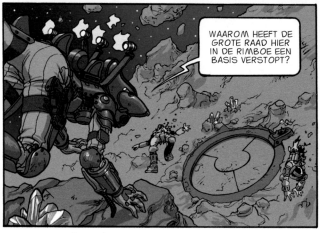

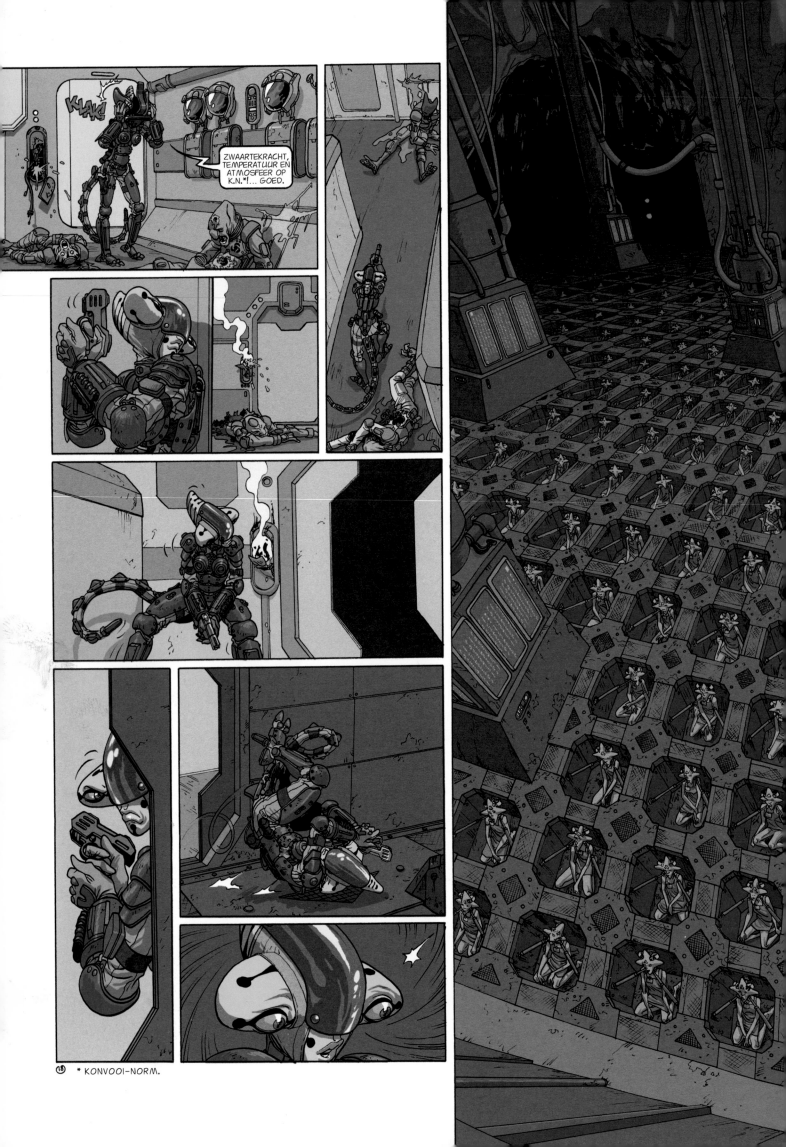

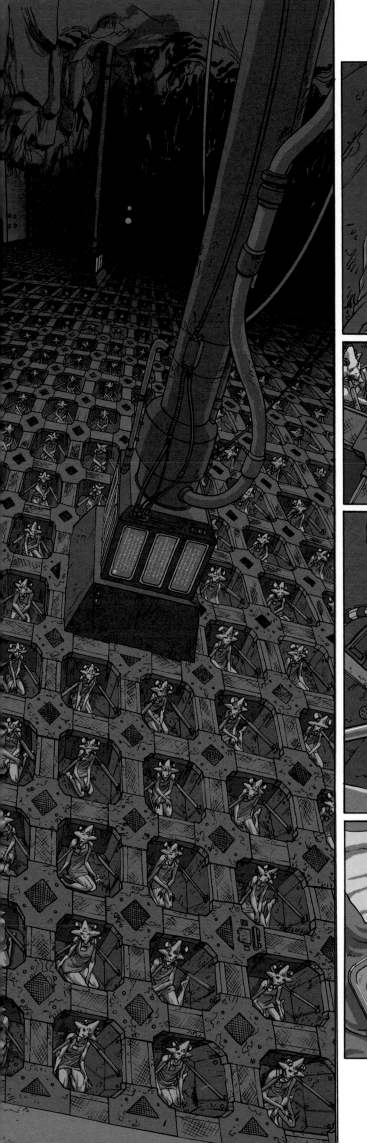

DIE... DIE ARME STAKKERS DRAGEN EEN KONVOOI-STEMPEL!... WAT IS DIT VOOR GORE ZOOI?!

19

...

BLEUAAARGH!...

IK HAAL JULLIE HIERUIT!

DAT ZWEER IK JULLIE!

IK KAN JULLIE NIET ALLEMAAL BEVRIJDEN, MAAR IK NEEM EEN PAAR VAN JULLIE MEE NAAR DE GROTE RAAD.

KLEK!

EN DAN ZAL IK IN DE OGEN VAN DE MAGISTER KUNNEN ZIEN OF HIJ OP DE HOOGTE IS VAN DEZE PLEK!

HUMPF!

EN OF HIJ DAT NU IS OF NIET, IK ZAL ERVOOR ZORGEN DAT ER EEN EINDE AAN JULLIE LIJDEN KOMT!

JULLIE KUN-NEN OP ME REKENEN...

KPAW!

IK ZORG ERV... ACK!

ALLES!

GOED!

KRAM!

JIJ GAAT ME HELPEN DEZE DRIE OVER TE LADEN!

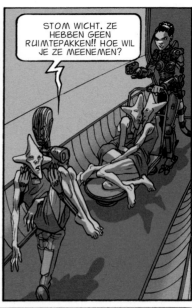

STOM WICHT. ZE HEBBEN GEEN RUIMTEPAKKEN!! HOE WIL JE ZE MEENEMEN?

IK GEEF TOE DAT IK MAAR EEN BEGINNELING BEN IN DIT SOORT SHIT...MAAR JIJ BENT BEROEPS...

JE BENT HIER VAST NIET NAARTOE GEKOMEN ZONDER EEN 'PLAN B' ACHTER DE HAND TE HEBBEN... VERTEL OP!!

BEKIJK HET EVEN!!

EN JIJ SPEELT MET JE LEVEN!!

VERTEL OP!

ALS JIJ DE ZAAK ZOU VERZIEKEN, WILDE IK HIER MET DE REDDINGSSLOEP VERTREKKEN.

DAT GELE RUIMTE-SCHIP DAAR!

KLAP!

KLEK!

SCHIET 'S OP!!

JA, JA! IK BEN KLAAR!!

SWIFT

NIET KLAGEN. ALS IK JE NIET NODIG HAD OM DIT TE ACTIVEREN, ZOU IK JE MET GENOEGEN BUITEN WESTEN SLAAN!

ZODRA WE BIJ DE TELEPOORT KOMEN, ACTIVEER JIJ JE AFSTANDS-BEDIENING!

ALS JE DAT NIET DOET, DOE IK HET ZELF WEL, ALS HET MOET MET JE AFGESNEDEN DUIM!!

KRAW! KRAW! KRAW! KRAW!

JE KUNT NOOIT TE VOOR-ZICHTIG ZIJN!

WE GAAN!!

JE VRIENDJES ZOUDEN WELEENS HET AKELIGE IDEE KUNNEN HEBBEN ONS TE VOLGEN.

VERDOMDE GRIET!! DE DRUK IN DE LOODS IS WEGGEVALLEN! ALLES STAAT IN BRAND!!

GEEN TIJD TE VERLIE- ZEN! 'PLAN C'! IK HEB HET PASJE VAN DE ONDER HOUDS- SLOEP!

SCHIET OP!

POEKRAM! WAAR WACHT JE OP!!? ACTIVEER DE POORT!!

DAN VERGIS JE JE, MEISJE!!

?!

BR BR

DENK JE SOMS DAT IK BLUF?!

TCHACK!

POEKRAM! WAAR HEBBEN ZE DAT SCHIP GEVONDEN?!

ZDIT!
?!
GEEF GAS!

WIL JE DIE TELEPOORT NU INEENS WEL OPENEN?!

EEN ONDER-HOUDSLOEP! STOM VAN ME! ELKE BASIS VAN KONVOOI HEEFT ER EEN!

... NET NU JE HANDLAN-GERS JE KO-MEN REDDEN?!

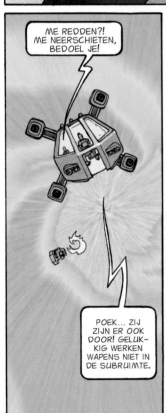
ME REDDEN?! ME NEERSCHIETEN, BEDOEL JE!

POEK... ZIJ ZIJN ER OOK DOOR! GELUK-KIG WERKEN WAPENS NIET IN DE SUBRUIMTE.

MAAR LEG ME EENS UIT WAAROM JE HELPERS HUN BAAS ZOUDEN WILLEN NEERSCHIETEN?

OMDAT ZE BESEFFEN DAT WE EEN STAP VER-DER ZIJN... WE ZIJN GEEN ECO-SOCIALE PROTESTBEWEGING MEER!

WE ZITTEN NU OP HET TERREIN VAN DE ULTRA-GEHEIME DIENSTEN... VOORTAAN GEEN MANI-PULEERBARE RECHTS-ZAKEN MEER!

DIT WORDT EEN BE-RECHTING DOOR DE KRIJGSRAAD, ACHTER GESLOTEN DEUREN... EN ZE ZULLEN ZICH DAAR NIET GENEREN OM MIJN BREIN TE ONT-LEDEN. DAN KOMEN AL MIJN CONTAC-TEN AAN HET LICHT.

SINDS ZE DE PLA-NEET VAN ONZE DRIE VRIENDEN HIER ONTDEKT HEBBEN, IS DE KENNIS OVER HET MANIPULEREN VAN HERSENS ENORM TOEGENOMEN...

DIT IS ÉÉN VAN DE MEEST VREEDZAME RASSEN DIE OOIT ONTDEKT ZIJN, MAAR JAMMER GENOEG VOOR HEN, ZIJN HUN GEESTELIJKE VERMO-GENS ONGEÉVENAARD...

22

DE WAARNEMERS TER PLAATSE...

... KWAMEN ER AL GAUW ACHTER, DAT ZE BETER GEEN RUZIE KONDEN MAKEN.

IN HUN RAPPORT AAN DE GROTE RAAD RAADDEN ZE HET KOLONISEREN, EN ZELFS HET BENADE-REN VAN DEZE PLANEET, STERK AF.

MAAR DE GROTE DENKERS BESEFTEN ZELF HEEL GOED, DAT DEZE SCHEPSELS, ZO VREEDZAAM ALS ZE WAREN, TOCH EEN GROOT POTEN-TIEEL GEVAAR BETEKENDEN...

... EN DAT ER ONDER HET MOM VAN VOOR-ZORGSMAATREGELEN... MANIEREN WAREN OM ZE TE GEBRUIKEN.

DUS ZORGDEN ZE ERVOOR DAT ER EEN VERDRAG WERD GETEKEND, WAAR-DOOR IEDEREEN UIT DE BUURT ZOU MOETEN BLIJVEN.

DE 'EDELE WILDEN' BE-SEFTEN NIET DAT ER IN HUN STRATOSFEER MEER MIJNEN EN BEWA-KINGSSATELLIETEN RONDZWEVEN DAN BIJ WELKE ANDERE ONDER KONVOOI VALLENDE WERELD DAN OOK...

MAAR ALS DE BE-STUURDERS, DIE DE WETTEN MAKEN, ZICH DAAR OOK AAN ZOUDEN HOUDEN...

... ZOUDEN WE DAT WETEN!

TOEN HEBBEN ZE ER EEN PAAR 'UIT-GENODIGD' OM KENNIS TE KOMEN MAKEN MET DE TECHNOLOGIE VAN KONVOOI.

ZE HEBBEN HEN ONDERMEER GE-BRUIKT OM REVO-LUTIONAIRE 'GEEST-ONTBLOK-KERS' TE ONTWIK-KELEN, EN OM VRESELIJKE MEN-TALE BOMMEN TE MAKEN.

ONDERLING GEBRUIK-TEN ZE MOOIE WOOR-DEN ALS 'ZELFVERDEDI-GING' EN 'WAPENS OM DE VREDE TE WAAR-BORGEN'....

HET IS GRAPPIG OM TE ZIEN HOE DE LUI DIE EVENWICHT PREDIKEN, ALTIJD PROBEREN DE ANDER EEN NEUSLENGTE VOOR TE ZIJN...

AL SNEL BLEEK, DAT ZODRA ZE WEG ZIJN VAN HUN PLANEET, DIE LEEFT EN ZELFS KAN DENKEN, ONZE LIEVE VRIENDEN ERG ONBEREKENBAAR WORDEN!

... VAAK OVERLEEFDEN ZE HET NIET... ZE HADDEN AL SNEL MEER PROEFKONIJNEN NODIG...

HUN GEESTESKRACHT IS ZO GROOT, DAT ZE PERMANENT VERDOOFD MOETEN WORDEN... VANDAAR DE TOESTAND VAN ONZE DRIE PASSAGIERS...

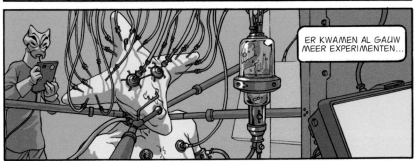

ER KWAMEN AL GAUW MEER EXPERIMENTEN...

TOEN HEBBEN ZE BESLOTEN HIER OP DEZE BASIS EEN ECHT FOKSTATION OP TE ZETTEN... GOED VERBORGEN, VER WEG VAN HET FATSOEN!...

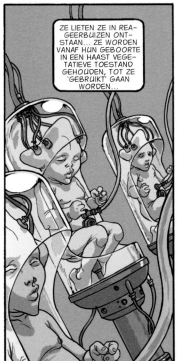

ZE LIETEN ZE IN REAGEERBUIZEN ONTSTAAN... ZE WORDEN VANAF HUN GEBOORTE IN EEN HAAST VEGETATIEVE TOESTAND GEHOUDEN, TOT ZE 'GEBRUIKT' GAAN WORDEN...

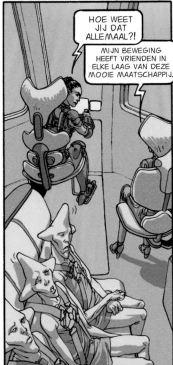

HOE WEET JIJ DAT ALLEMAAL?!

MIJN BEWEGING HEEFT VRIENDEN IN ELKE LAAG VAN DEZE MOOIE MAATSCHAPPIJ.

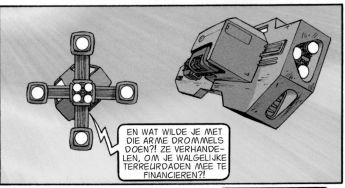

EN WAT WILDE JE MET DIE ARME DROMMELS DOEN?! ZE VERHANDELEN, OM JE WALGELIJKE TERREURDADEN MEE TE FINANCIEREN?!

WALGELIJK, DAT ZIJN ZE INDERDAAD >HUNGH< MAAR VIND JE NIET DAT WAT HUN WORDT AANGEDAAN, MINSTENS ZO ERG IS?

SKREE

POEKRAM!

KLANG!

... EN DAT IS MAAR ÉÉN VOORBEELD VAN DE SCHIJNHEILIGHEID EN HET CYNISME VAN ONZE BESTUURDERS! DUS WAT DAN? ZE HUN GANG LATEN GAAN EN JE KOP DICHT HOUDEN?

NOOIT!!

29

HET PROBLEEM IS, DAT ALS JE HET OPNEEMT TEGEN LUI DIE GEEN ENKEL RESPECT VOOR EEN LEVEND WEZEN HEBBEN...

...JE MOET OPPASSEN ZELF NIET OOK DAT RESPECT KWIJT TE RAKEN! ZELFS ALS HET TUIG BETREFT!

MAAR... VOOR WIE WERK JIJ DAN EIGENLIJK?

VOOR JE TEGENSTAN- DERS! DIE OOK DE MIJNE ZOUDEN KUNNEN ZIJN!

IK WIL ER IN IEDER GEVAL VOOR ZOR- GEN DAT DEZE SCHANDDAAD AAN HET LICHT KOMT!

...

DUS ALS IK HET GOED BEGRIJP...

...HEBBEN WE HETZELFDE DOEL VOOR OGEN?

JA...

EN DAT ZINT ME VOOR GEEN METER!

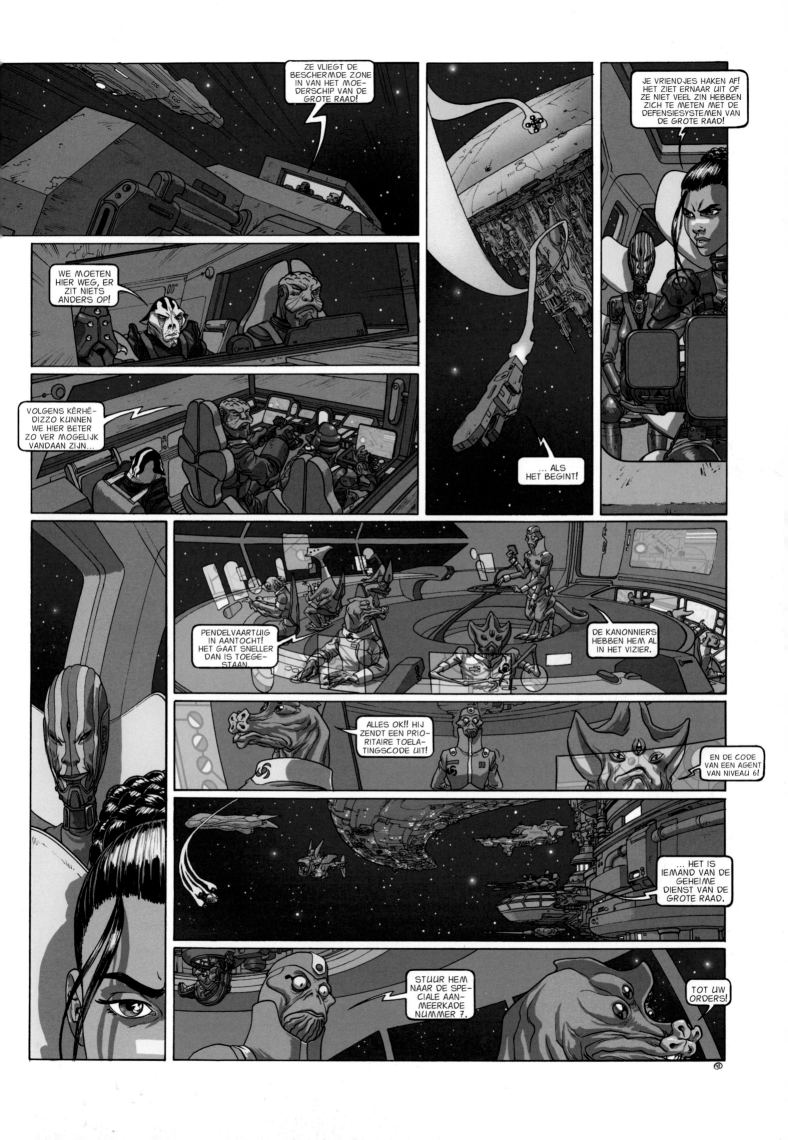

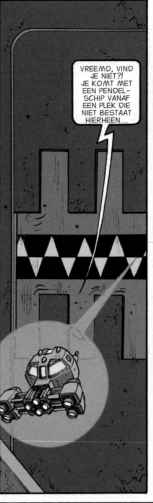

VREEMD, VIND JE NIET?! JE KOMT MET EEN PENDEL- SCHIP VANAF EEN PLEK DIE NIET BESTAAT HIERHEEN...

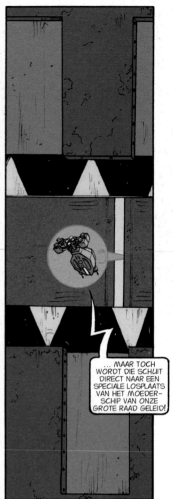

... MAAR TOCH WORDT DIE SCHUIT DIRECT NAAR EEN SPECIALE LOSPLAATS VAN HET MOEDER- SCHIP VAN ONZE GROTE RAAD GELEID!

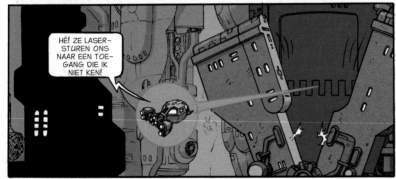

HÉ! ZE LASER- STUREN ONS NAAR EEN TOE- GANG DIE IK NIET KEN!

KLANG!

HET IS EEN PEN- DELSCHIP UIT ZONE B. MAAR IK HEB GEEN LEVERING VAN HAIBOKU- CHOUGINAU OP ONZE PLANNING STAAN!

WAARSCHIJNLIJK EEN SPOEDBESTELLING VAN DE WETEN- SCHAPPERS... DAT KOMT WELEENS VOOR...

SORRY, MAAR IK HEB JE HEFTRUCK EVEN NODIG!

ZET ZE GOED VAST, JIJ!

WAT IS DAT DAAR?!

HÉ! DAT ZIJN GEEN LUI VAN ZONE B!!

KLAK!

POEKRAM NOG AAN TOE!

SPIIIP!

VOORUIT, SNELLER, ROTDING!!

SPIIIP! SPI

KREE...

ZET ZE GOED VAST, JIJ!

KLANG!

POEKRAM! ANTWOORD!

NÄVIS?!

IK VROEG ME AL AF WIE ME ZOU KUN-NEN BELLEN MET EEN KENGETAL VAN DE LOGISTIEK VAN DE GROTE RAAD...

IK BEN OP WEG NAAR HET KAN-TOOR VAN DE MAGISTER!

IK HEB HIER ZIJN PRIVÉ-NUMMER NIET, WANT IK BEL JE VIA DE HOLO-COM VAN EEN HEFTRUCK!

IK ZAL JE LATEN ZIEN WAT IK VERVOER EN DAN MOET JE DIE BEELDEN METEEN AAN HEM DOORSTUREN!

DAAR ZIJN ZE TOE IN STAAT, DAT IS DUIDE-LIJK! DÚS KUN JE MAAR BETER SNEL DOEN WAT IK JE VRAAG!

... WANT AFREMMEN DOE IK NIET!

ALS HIJ DAT ZIET, ZAL HIJ DE BEWAKING DIRECT OPDRACHT GEVEN ME BIJ HEM TOE TE LATEN!!

MAAR, MAAR, MAAR... ZIJN BEWAKERS DOEN GEEN HALF WERK! MISSCHIEN SCHIETEN ZE JE WEL NEER!

LUISTER!! HET WORDT ONDER-HAND TIJD WAT REDELIJKHEID TE TONEN! ER MOET EEN UITWEG GEVON-DEN WORDEN OM DEZE OM ZICH HEEN GRIJ-PENDE CRISIS TUSSEN JULLIE TE BEZWEREN!

BILIP! BILIP!

ZIJN JULLIE BEREID JULLIE ELEKTROMAGNETISCHE SCHEI-DINGSMUUR OP TE HEFFEN, ALS JULLIE BELOVEN JE TER-RORISTISCHE NETWERK TE ONTMANTELEN?

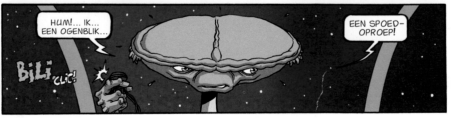

HUM!... IK... EEN OGENBLIK...

BILI CLIC!

EEN SPOED-OPROEP!

SNIVEL?!!

MAAR WAT IS DIT VOOR EEN ONVER- ANTWOORDELIJK GEDRAG, KLEINTJE!

IK BEN IN 'CRISISVERGA- DERING'!! DUIZENDEN LEVENS STAAN OP HET SPEL EN IK... MAAR HOE HEB JE MIJN ALARMCODE TE PAKKEN GEKREGEN?

IK BEN GOED GEPROGRAM- MEERD, MAGISTER...

HET SPIJT ME, MAAR IK MOET U NAMENS SPECI- AAL AGENT NÄVIS EEN DRINGEND BERICHT DOOR- GEVEN.

ZE IS OP WEG NAAR UW KANTOOR... EN VROEG ME U DEZE NET OPGENOMEN BEELDEN DOOR TE GEVEN...

...

OPGEHANGEN?!... TSST! TSST! WIL JE ZE EEN KEER HELPEN, ZEG!

ZEGT U HET MAAR, MAGISTER.

JUAIZ! NÄVIS IS OP WEG NAAR MIJN KANTOOR! ZE HEEFT KÉRHÉ-DIZZO BIJ ZICH!!

DEKSELSE MEID! HEEFT ZE HAAR TOCH TE PAKKEN, ONDANKS ALLES!

JA! MAAR ZE HEEFT OOK ZEKER DRIE HAIBOKUCHO UGINAUS BIJ ZICH!!!

?! ZIJN ZE INGE- PLUGD?

NATUUR- LIJK NIET!!

LAAT HAAR ONGEHINDERD DOORVLIEGEN NAAR MIJN KANTOOR! ZORG ERVOOR DAT JE DAAR OOK BENT EN ELIMINEER DIE SCHEP- SELS DAN ZO NETJES MOGELIJK!!

... IK KOM ZO SNEL MOGELIJK NAAR JE TOE!

HET IS HANDIG RELATIES TE HEBBEN...

... ZO HEBBEN ZE DE TIJD ZICH VOOR TE BEREIDEN, JE TE ISOLEREN EN...

... ONOPVALLEND UIT DE WEG TE RUIMEN!

ZIE JE DAT ZE ONS DOORLATEN?

WE ZIJN ER BIJNA!

GAAT DIT NIET WAT TÉ GEMAKKELIJK?!... ZE WETEN WAAR JE HEEN GAAT...

IK KEN JUAIZ... HIJ ZOU ME NOOIT VERRADEN!

JA, JA, EN HIJ IS SOLDAAT! ORDERS OPVOLGEN DOET HIJ ZEKER OOK NOOIT?!

NÄVIS...

... IK BEN ONGEWAPEND! DE MAGISTER KOMT ZO!

?!

HÉ! JULLIE!!

WEG UIT DIE LIFT!

WOOOOOO

VLUG!

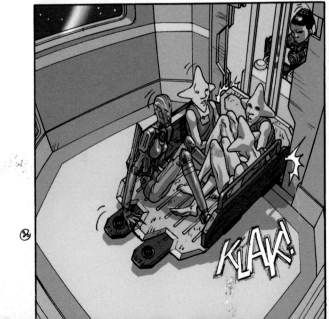

KLAK!

LEG ZE VEILIG NEER, JIJ!!

JUAIZ! VAN HIER WIL IK MET DE MAGISTER PRATEN!!

40

WAT IS ER MIS, NÄVIS? VERTROUW JE ME NIET MEER?

BLIJF DAAR!! WAAR IS DE MAGISTER?!

HIJ KOMT ER ZO SNEL MOGELIJK AAN! MAAR JE MOET NU METEEN DIE HAIBOKUCHOUGINAUS AAN MIJ OVERDRAGEN!

OEFF! OEF!.. DAT IS VAN HET GROOTSTE BELANG! ZE BEGINNEN AL TE ZINGEN!

KIJK NAAR BUITEN! DE SCHEPEN BEGINNEN AL TE TRILLEN EN VAN KOERS TE RAKEN!

ALS JE ZE NIET OVERDRAAGT, KOMT ER EEN MONSTERLIJKE BOTSING VAN!

ALS IK ZE OVERDRAAG... WAT GEBEURT ER DAN MET ZE?

ZE WORDEN AFGEMAAKT! WAT DACHT JE DAN?!

JULLIE LIEGEN AL VANAF HET BEGIN! IK BEGRIJP NU WAAROM JE DE OPDRACHT WILDE AFBREKEN!! HIJ STINKT TE ERG!!

TOEN JULLIE HOORDEN WAT KÉRHÉ-DIZZO VAN PLAN WAS, HAALDEN JULLIE ME VAN DE ZAAK OMDAT IK ANDERS ZOU ONTDEKKEN WAT JULLIE DIE HAIBOKUCHOUGINAUS AANDOEN!! JULLIE WILDEN ALLES IN DE DOOFPOT STOPPEN!

VERDOMME!! GEBRUIK JE VERSTAND!! ALS WE HADDEN GEWETEN WAAR ZE NAARTOE GING, HAD ER EEN STEVIG ONTVANGSTCOMITÉ KLAARGESTAAN!

NÄVIS, IK MOEST DE OPERATIE STOPZETTEN OMDAT JE ONTDEKT WAS! KÉRHÉ-DIZZO WIST WIE JE WAS!!

?! ONMOGELIJK... DAT KON ZE NIET WETEN...

TOCH WEL!

K...K...

KLIK!

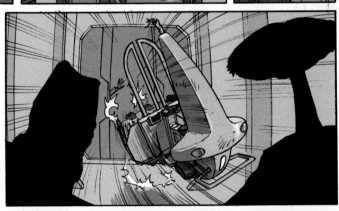

BZZT

HMFF!

CYBER-SQUAD?! HIER JUAIZ! ZOEK UIT WAAR LIFT 26-44-SP IS EN BLOKKEER HEM! SNEL!

BARST!

?! ALLES WORDT GESTOORD!!! HET SYSTEEM IS BESMET!... HET IS EEN DOORVERBINDINGSLIFT!... DIE KAN WAAR DAN OOK OP DE HOOFDSTRUCTUUR ZITTEN!

DOE GEEN MOEITE! JE SPIEREN ZIJN EEN POOSJE VERLAMD!

JE WAS ECHT IDEAAL! HAHA! ZO VOORSPELBAAR... HET MAAKT ZO NIET UIT DAT JE HERSENGOLVEN NIET TE LEZEN ZIJN!!

IK HAD NOOIT GEDACHT DAT MIJN PLAN ZO GOED ZOU WERKEN!... IK WAS DOLBLIJ TOEN MIJN TIPGEVER ME VERTELDE WIE JE WAS!...

TOEN IK DIE PSY-GRANAAT GOOIDE, WIST IK HET ZEKER. JIJ VIEL ME AAN... MAAR JE KLEINE COLLEGA IN JE HELM DACHT ALLEEN MAAR AAN VLUCHTEN!

OP DAT MOMENT HEB IK ALLES OMGEGOOID. IK HEB MIJN MEDEWERKERS OP DE HOOGTE GEBRACHT... WAT EEN KNAP SCHUTTER, DIE SOIMITT! JOU ONGEDEERD LATEN, MAAR JE COLLEGA UITSCHAKELEN!

IK WIST DAT JE DAAR PISNIJDIG VAN ZOU WORDEN! IEMAND DIE EEN PROOI VAN ZIJN SLECHTSTE EMOTIES IS, KUN JE GEMAKKELIJK MANIPULEREN!

...

EN ZO HEB JE ME GEHOLPEN TOT STAND TE BRENGEN WAT MIJ NOOIT GELUKT ZOU ZIJN...

... ZO DICHTBIJ HET HART VAN DE GROTE RAAD TE KOMEN!...

... ZO VLAKBIJ DE OVERBRENGERS...

... MET DE HAIBOKU-CHOUGINAUS!

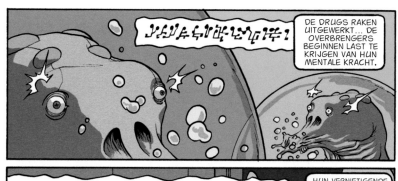

DE DRUGS RAKEN UITGEWERKT... DE OVERBRENGERS BEGINNEN LAST TE KRIJGEN VAN HUN MENTALE KRACHT.

HUN VERNIETIGENDE KRACHT IS FEITELIJK NIET MEER DAN EEN SOORT EXTREME GELUKZALIGHEID...

... MAAR DIE ZAL DE GEESTELIJKE SAMENHANG VERWOESTEN VAN DE HELE GROEP GEVANGENEN, DIE ALS MOTOR VAN ALLE GROTE SCHEPEN FUNGEREN...

IK ZET JE OP DE EERSTE RANG! HET ZOU JAMMER ZIJN ALS JE DIT SCHOUW-SPEL ZOU MOETEN MISSEN!

DE LEIDING EN DE AMBTENAREN VAN KON-VOOI TEN PROOI AAN WAT ZE ZELF OVERAL IN HET UNIVERSUM VER-OORZAKEN: CHAOS!!

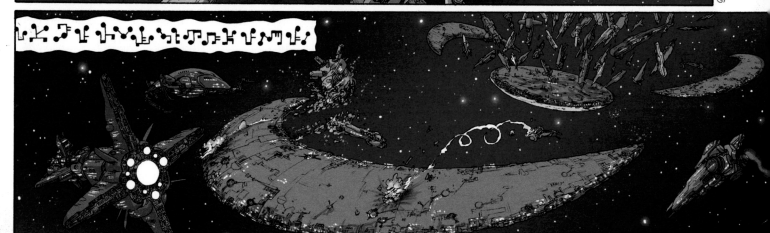

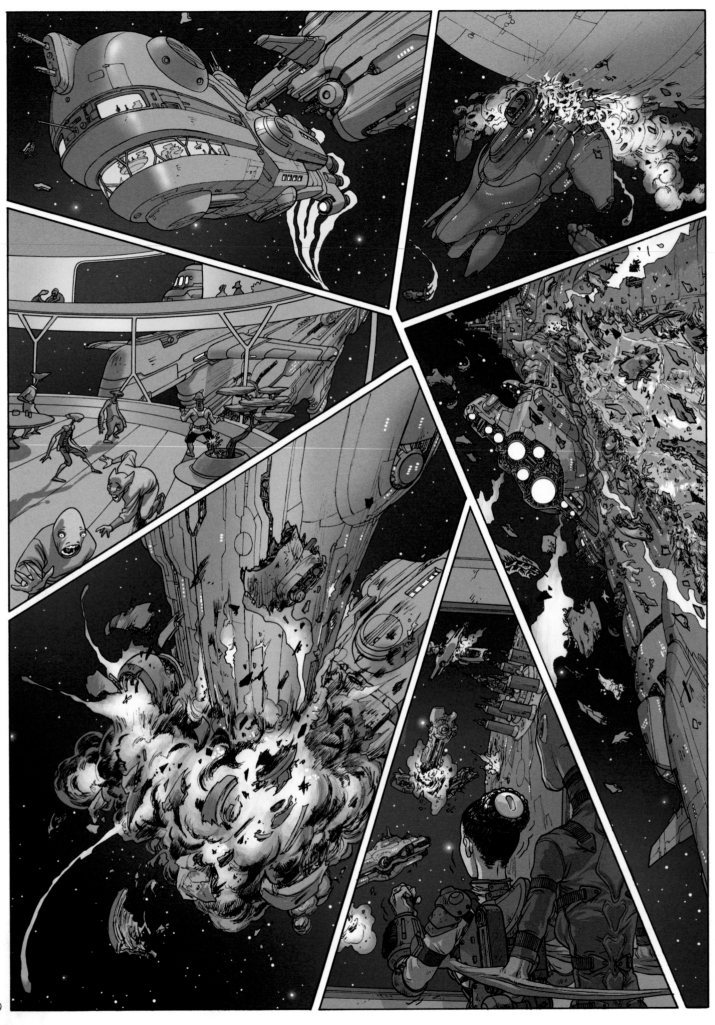

DIT IS NU, WAT ZE EEN SCHOP IN EEN MIERENNEST NOEMEN... EN DAT ALLEMAAL DANKZIJ JOU!

ER IS NIETS MOOIERS DAN DE PIONNEN VAN DE TEGENSTANDER ZELF GEBRUIKEN OM HEM TE VERSLAAN... MAAR WEES GERUST...

JE KUNT ME NOG VAN PAS KO AKK!!

JE LIEGT! IK HEB JE NOOIT GEHOLPEN!!

JE DOMHEID HEEFT DAT GEDAAN! HET BEREIK VAN DE KRACHTEN VAN ONZE 3 VRIENDEN BREIDT ZICH STEEDS VERDER UIT OVER KONVOOI... EN DAN ZULLEN ER OOK ONSCHULDIGE LEVENS WORDEN VERNIETIGD!!...

IK HEB JE ÉÉN DETAIL OVER HEN NOG NIET VERTELD... HUN MENTALE GOLVEN HEBBEN OOK EEN BESCHERMEND EFFECT.

ZE VERNIETIGEN OOK ALLE AGRESSIEVE GEVOELENS IN HUN NABIJHEID. HET IS ONMOGELIJK ZE KWAAD TE DOEN, LAAT STAAN ZE TE DODEN!

EENS KIJKEN OF JE DE KLOTEN HEBT JOUW DEEL TE DOEN!

ELKE SECONDE AARZELEN BETEKENT HONDERDEN DODEN!

ONDANKS MIJN MENTALE BLOKKERS ZOU JE ME NIET KUNNEN DODEN, AL ZOU IK DAT WILLEN... IK KAN MAAR NAUWELIJKS DIT WAPEN VASTHOUDEN...

HET LIJKT EROP DAT JE HET BEGINT TE SNAPPEN!

WAAROM HEB IK JE NIET AFGEMAAKT?...

PRECIES! ALLEEN JIJ KUNT DE REST VAN KONVOOI REDDEN!... IK HEB MIJN DEEL VAN HET WERK GEDAAN!

GENERAAL JUAIZ! KAPITEIN KONHAN HIER! IK HEB LIFT 26-44-SP IN ZICHT! HIJ HANGT OP NIVEAU A 52-C 34!

HET LUKT ME NIET HEM OP TE BLAZEN... IK... HNG! IK KAN HEM DAAR ALLEEN BLOKKEREN!

IN ORDE! HIJ ZIT VAST OP DE COÖRDINATEN A52-C 34.

PRIMA! WE ZIJN ER!

DE LIFT IS ER INDERDAAD!

NNNGH... IK KAN HEM NIET MEER VASTHOUDEN...

PIJN... AGH!

?! HUMPF! HET... HET LIJKT EVEN IETS MINDER ERG. DAAR MOET IK GEBRUIK VAN MAKEN!!

KLIK!

?!!

HAHA!

HA HA!

HAHA!

KLAK!

HA HA HA!

⑪

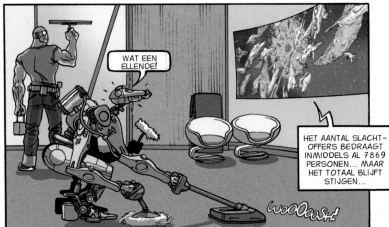

DAT VROEG IK NIET, DUS ALSJE-BLIEFT, BOBO, GEEF ANTWOORD!

ALLE SCHEPEN BOVEN DE 450 MEGAKEVINES ZIJN UITGERUST MET EEN PSYCHOKINETI-SCHE EENHEID!

WIJ ZIJN ERVAN OVER-TUIGD DAT JE ONSCHULDIG BENT, KLEINTJE!

IK DACHT DAT JE HET WEL WIST... HET STAAT IN JE SCHOOLBOEKEN!

AANDRIJVING OP BASIS VAN PSYCHI-SCHE ENERGIE... DE JIDI'S HEBBEN NOOIT IETS BETERS KUNNEN VINDEN.

MAAR ER ZIJN ER UITERAARD OOK, DIE ZICH-ZELF VERKOPEN OM HUN FAMILIE VAN EEN INKOMEN TE VERZEKEREN... HET SPREEKT VANZELF DAT DIT STRENG VER-BODEN IS...

MAAR MEEST-AL ZIJN HET GEVANGENEN, DIE VEROOR-DEELD ZIJN VOOR ZWARE MISDRIJVEN.

SOMMIGE 'MOTOREN' VER-HUREN HUN DIENSTEN VOOR EEN BEPERKTE PERIODE, ZOALS GEREGELD IN DE WET OP DE PSY-EXPLOITATIE.

45

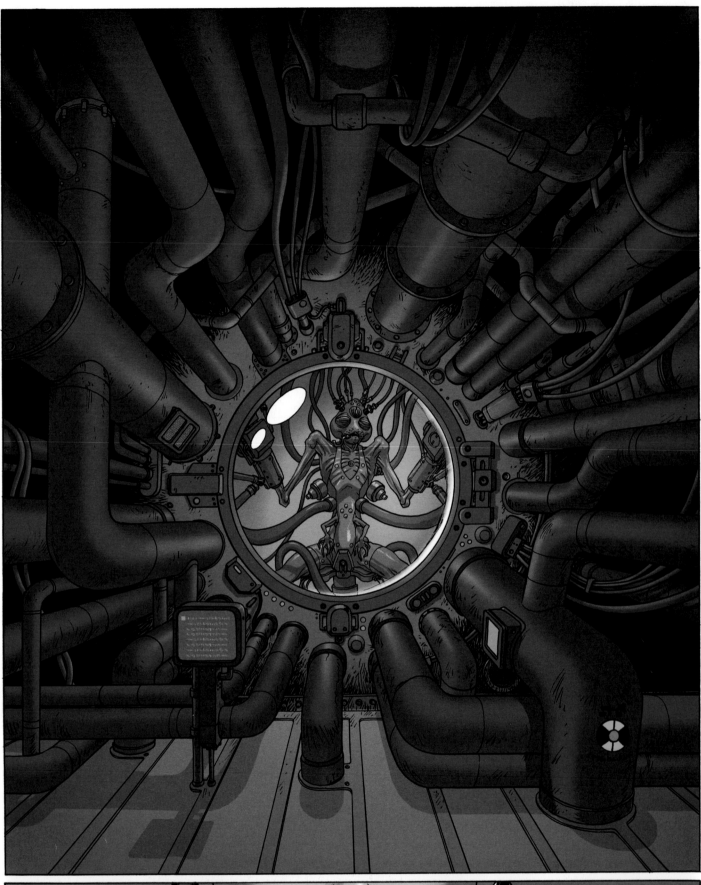

HEILIIG...?!

EINDE VAN DEZE EPISODE